JUSTIN BIEBER
Sans limites!

BIOGRAPHIE NON AUTORISÉE

Écrit par Elise Munier
Conception graphique d'Angie Allison

Crédits photographiques :

Page de couverture : Michael Buckner/Wirelmage/Getty Images
Quatrième de couverture : Mike Marsland/Wirelmage/Getty Images
Michael Buckner/Wirelmage/Getty Images : page 6
Mike Marsland/Wirelmage/Getty Images : page 29
Peter Wafzig/Getty Images : pages 2—3, 9, 43, 62—63
Ian West/PA Wire/Press Association Images : page 8
Theo Kingma/Rex Features : pages 10, 15 (à droite et à gauche)
Dominique Charriau/Wirelmage/Getty Images : page 11
Frazer Harrison/Getty Images : page 12 (à gauche)
Chris McGrath/Getty Images : page 12 (au centre)
Matt Baron/BEI/Rex Features : page 12 (à droite)
Picture Perfect/Rex Features : page 13 (à gauche)
Vince Flores/UK Press/Press Association Images :
 page 13 (centre)
Robert Pitts/LANDOV/Press Association Images :
 page 13 (droite)
Irving Shuter/Getty Images : page 14
Broadimage/Rex Features : page 16
Ian Gavan/Getty Images : pages 19, 24, 44
Christopher Polk/VF11/Getty Images for Vanity : page 20
Rob Verhorst/Getty Images : page 25

Chris McKay/Wirelmage/Getty Images : page 30
Jason Merritt/Getty Images : pages 32—33
Most Wanted/Rex Features : page 35
Scott Gries/Picture Group/EMPICS Entertainment/Press Association Images :
 pages 36—37
François Durand/Getty Images : page 38 (à gauche)
Stuart Wilson/Getty Images : page 38 (à droite)
Dave Hogan/Getty Images : page 39
Kevin Winter/Getty Images : page 48
Wong Maye-E/AP/Press Association Images : page 51
Sipa Press/Rex Features : page 54
Michael Tullberg/Getty Images : page 57 (au centre)
KPA/Zuma/Rex Features : page 58
Jack Guez/AFP/Getty Images : page 59
Agencia EFE/Rex Features : page 60
ShutterStock Inc. : images des pages 56, 57 (à droite et à gauche),
58 ; arrière-plan des pages , 5, 6—7, 10—11, 12—13, 14—15, 16—17,
18, 21, 24—25, 26—27, 28—29, 30—31, 34—35, 36—37, 38—39,
40—41, 42—43, 44—45, 46—47, 48—49, 50—51, 52—53, 54—55, 56—57,
58—59, 60—61.

Publié en Grande-Bretagne en 2011 par Buster Books,
une marque de Michael O'Mara Books Limited,
9 Lion Yard, Tremadoc Road, Londres SW4 7NQ, R.-U.
www.mombooks.com/busterbooks

Catalogage avant publication de Bibliothèque et Archives Canada
Munier, Elise
Justin Bieber : sans limites! / Elise Munier.
ISBN 978-1-4431-1316-8
1. Bieber, Justin, 1994- --Ouvrages pour la jeunesse. 2. Chanteurs-- Canada--Biographies--Ouvrages pour la jeunesse. I. Titre.
ML3930.B545M9614 2011   j782.42164092   C2011-903570-7

JUSTIN BIEBER
Sans limites!

BIOGRAPHIE NON AUTORISÉE

Texte français du Groupe Syntagme inc.

Éditions
SCHOLASTIC

TABLE DES MATIÈRES

ENTRE DANS LE MONDE DE JUSTIN

La Biebermanie a atteint le monde entier, et les fans inconditionnels, dont tu fais partie, se comptent par millions. Grâce à toi, Justin est passé en un clin d'œil de clown de la classe à pop-star de renommée internationale!

Une étoile montante

Justin Bieber a toujours aimé chanter, mais c'est à 12 ans qu'il a pris le chemin de la gloire. Chez lui, Justin chantait sans arrêt. Il a décidé de participer à un concours régional, où il a remporté le troisième prix.

Justin ne s'est pas arrêté là : il a également publié des vidéos sur YouTube. Sept mois et 10 millions de clics plus tard, Scooter Braun, un agent de marketing de chez So So Def Recordings, a fait venir Justin et sa mère dans ses bureaux d'Atlanta. Peu de temps après, en octobre 2008, Justin signait un contrat avec Island Records. Tout le monde connaît la suite.

Son parcours, depuis sa petite ville tranquille jusqu'à son statut de star internationale, a amené Justin à chanter partout sur la planète. Il a crevé l'écran dans un documentaire portant sur sa vie, *Justin Bieber : Ne jamais dire jamais*, qui a fait le tour du monde. Ses fans plus qu'enthousiastes ont acheté ses albums par millions. Ils s'arrachent les billets pour ses spectacles, et les concerts affichent tous complet. Que lui réserve l'avenir? Il est déjà une super vedette et ce n'est que le début!

En coulisses

Ce livre est ton billet V.I.P. pour découvrir le monde fascinant du chanteur le plus craquant de la planète.

Tu y apprendras les secrets les mieux gardés sur sa vie avant que son nom ne soit sur toutes les lèvres (et sa coiffure, sur toutes les têtes). Tu sauras comment Justin s'adapte à la vie sous les projecteurs, et tout ce qu'il faut savoir sur ses succès les plus récents.

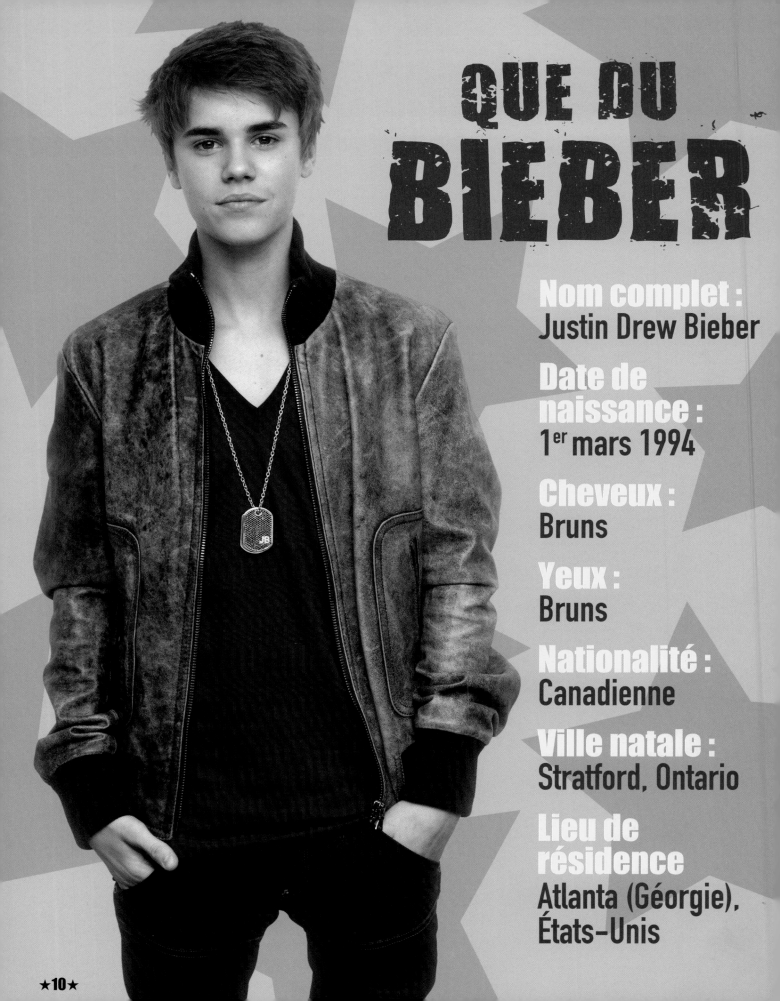

QUE DU BIEBER

Nom complet :
Justin Drew Bieber

Date de naissance :
1er mars 1994

Cheveux :
Bruns

Yeux :
Bruns

Nationalité :
Canadienne

Ville natale :
Stratford, Ontario

Lieu de résidence
Atlanta (Géorgie), États-Unis

Couleur préférée :
Violet

Plats favoris :
Les spaghettis sauce bolognaise, le gâteau au fromage et les bonbons « Big Foot »

Boisson favorite :
Jus d'orange

Surnoms :
J-Biebs, JB, Biebs

Chiffre chanceux :
6

Pointure :
7,5

Idole :
Wayne Gretzky

Super pouvoir désiré :
Voler

Sports préférés :
Le soccer, le hockey et le basketball

Emploi rêvé :
Architecte

Moyenne pondérée :
4

Animal de compagnie :
Un chien papillon appelé Sam

Émission de télé la plus drôle :
The Inbetweeners

Talent caché :
Peut résoudre un cube Rubik en moins d'une minute

Ce qu'il déteste :
Les filles qui essaient de l'impressionner, se faire demander sa couleur préférée et avoir froid

Inspirations :
Son grand-père et Usher

Sur son iPod :
Des nouveautés intéressantes, de Tupac à Tragically Hip

Vidéoclip favori :
« Thriller », de Michael Jackson

Aime
La tarte aux pommes

Aime vraiment :
Les filles

N'aime pas :
Se lever le matin

Chaîne de cafés préférée :
Tim Hortons

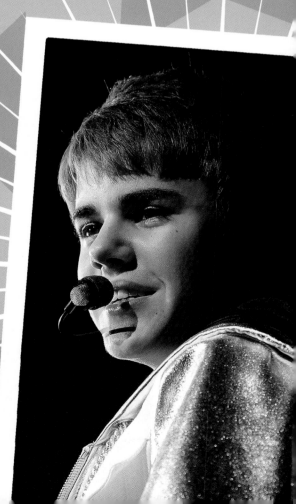

QUI A DIT QUOI?

Tu sais tout ce que Justin a déjà dit? Alors, devine quels Tweets sont de son cru, et à qui appartiennent les autres. (Les images ci-dessous te donneront des indices.) Tu trouveras les réponses à la page 61.

1 La musique est un langage universel qui ne tient pas compte du pays d'où nous venons ni de la couleur de notre peau. Elle nous rassemble.

2 Hier, c'était la fin de ma première tournée! Ça n'aurait pas pu être mieux et c'est grâce à vous! Merci!!! <3

3 nous sommes du même sang... ne jamais dire jamais. RÊVE GRAND!!!!

4 Il était temps... UN PEU DE CHUCK NORRIS : # Chuck Norris ne se coiffe pas. La terreur tient ses cheveux en place.

5 Donner l'amour que l'on reçoit aujourd'hui est la recette pour de meilleurs lendemains.

6 Suis en avance à la répétition. Personne n'est encore arrivé. *Alors... je suis dans les bureaux de production et je fais un collier avec des trombones.

7 Le thème de ce soir est... plus, c'est PLUS!

8 instant de bonheur. je suis reconnaissant d'être ici et de vivre ma vie. ne vais pas rater ma chance. ne serai pas égoïste. ne me barrerai pas la route.

9 Les Oscars m'emballent tellement. Aujourd'hui, quelqu' un m'a demandé quel designer je portais. Quelqu'un sait qui a dessiné le « Snuggie »?

10 je ne me rase pas pendant un mois pour que vous puissiez tous voir ma moustache... je suis gonflé à bloc

Justin ne s'est pas toujours tenu sous les feux de la rampe ou sur le tapis rouge. Découvre ce qu'a été l'enfance de JB à Stratford, en Ontario. Des voyages de pêche aux repas de Noël, en passant par une foule d'autres évènements, tu sauras tout!

Quelle prise!

Justin est heureux d'avoir pu passer du temps avec ses grands-parents pendant son enfance. Les sorties de pêche avec eux chaque été, à Star Lake, comptent parmi ses meilleurs souvenirs. Ils louaient un chalet et passaient des matinées tranquilles à lancer des lignes. « J'espère qu'un jour, j'irai à Star Lake avec mes petits-enfants, que nous pêcherons des truites arc-en-ciel et que je leur raconterai comment nous nous réunissions autour du feu, le soir venu », dit Justin. Il a vraiment de la chance d'avoir des grands-parents si formidables!

Festin familial

Noël chez les Bieber, c'est quelque chose! Toute la famille se réunit, y compris les grands-parents, les enfants et les petits-enfants (biologiques ou par alliance). Tout le monde est invité! On s'assoit pour manger un délicieux repas où la dinde et la sauce sont à l'honneur. « Je vous assure, dit Justin, ma grand-mère cuisine un super repas de Noël. » Ensuite, on distribue les cadeaux. Tous les membres de la famille roulent les dés pour décider qui reçoit quelle surprise emballée. « Ensuite, nous ouvrons tous nos cadeaux, et les échanges commencent », explique-t-il.

Quelle chance!

Justin est très reconnaissant envers sa famille. « Nous sommes comme ça, dans ma famille. Chacun donne ce qu'il a », déclare-t-il. Il est réaliste et sait qu'une famille normale, ça n'existe pas. En fait, il est heureux que sa famille ne soit pas parfaite. « Sinon ce serait sûrement les gens

les plus ennuyants au monde, ou les plus effrayants », dit-il en souriant. Justin aime sa famille et peu importe ses petits travers, il ne l'échangerait pour rien au monde.

Ses parents

Justin admire ses parents, et particulièrement sa mère, qui travaille et élève seule son « petit farceur », comme il se surnomme lui-même. Justin est reconnaissant envers ses parents pour tout ce qu'ils lui ont donné. « Mon père a non seulement influencé ma vie, mais aussi ma musique », dit Justin. Même si son père travaillait beaucoup, Justin aimait passer du temps avec lui à jouer de la guitare et écouter du rock classique.

N'embête pas Bieber

Aujourd'hui, personne ne s'en prendrait à Justin, mais à la fin du primaire, il était plutôt petit. Quand les brutes le provoquaient, il se défendait par le pacifisme. Cependant, il s'est fait prendre dans une énorme bagarre une fois. « J'ai toujours préféré rivaliser avec eux au basket ou au hockey, plutôt que par les poings.

Je ne suis pas violent de nature, mais si je crois en quelque chose, je le défends », explique-t-il.

Le pitre de la classe

Si Justin avait des ennuis à l'école, c'était généralement pour avoir fait le pitre. Il faisait de la planche à roulettes dans les corridors, faisait trop de bruit avec ses amis ou faisait rire quelqu'un. Il n'a jamais eu de problèmes pour avoir été méchant à l'école. « En gros, je me faisais gronder en étant moi-même, et cela me semblait injuste », explique-t-il.

ET LE GAGNANT EST...

Justin a peut-être seulement 17 ans, mais il a déjà été sélectionné pour bien des prix prestigieux dans le domaine de la musique. Il ne les a pas tous gagnés, mais cette super vedette remportera certainement de nombreux trophées dans l'avenir. Apprends-en davantage sur les prix que Justin a eus et ceux qui lui sont passés sous le nez!

Stratford Idol

En septembre 2007, Justin a participé à un concours amateur dans sa ville natale de Stratford, en Ontario. Il avait seulement 12 ans et n'avait jamais suivi de cours de chant, contrairement à la plupart des autres concurrents. Malgré cela, Justin a remporté la troisième place! « Je croyais qu'il y aurait un prix amusant, a-t-il admis, mais l'idée était plutôt de monter sur scène et de faire de la musique pour m'amuser. » Il admet qu'il était un peu déçu de ne pas avoir gagné, mais il est satisfait de la façon dont les choses ont tourné.

Gaga des Grammy

En janvier 2010, Justin a présenté un prix à la 52e cérémonie des Grammy Awards en compagnie d'une autre jeune artiste, Ke$ha. L'année suivante, à la même cérémonie, Justin était sélectionné pour deux prix prestigieux! Il a déclaré : « Toute ma vie, j'ai voulu remporter un Grammy. »

Justin a également été sélectionné pour le prix du Meilleur nouvel artiste et celui du Meilleur album pop aux côtés d'autres vedettes, telles que Lady Gaga et Katy Perry. Malheureusement, Justin a perdu contre Lady Gaga pour le Meilleur album pop, et contre Esperanza Spalding dans la catégorie du Meilleur nouvel artiste.

Même si Justin n'a remporté aucun trophée ce soir-là, Esperanza Spalding a déclaré : « Il [Justin] était très courtois. Nous nous sommes rencontrés juste après la cérémonie et avons parlé de nos cheveux. Il était très gentil et bienveillant; il n'avait pas l'air vexé. C'est un jeune homme adorable. »

Les Juno

À la remise des prix Juno en 2010, Justin a obtenu une nomination pour le prix du nouvel artiste de l'année, mais c'est Drake, la star du hip-hop, qui est reparti avec le trophée. Justin n'a pas baissé les bras pour autant.

En 2011, il a été sélectionné pas moins de quatre fois pour les prix Juno et a remporté le prix pour l'album pop de l'année, avec *My World 2.0*, ainsi que le prix du choix du public, la seule catégorie dans laquelle le public pouvait voter.

MuchMusic Awards

Au cours des MuchMusic Awards, animés par Miley Cyrus en 2010, Justin a remporté les prix de l'Artiste révélation de l'année et du Clip favori de l'année. Deux de ses chansons étaient dans la catégorie du Meilleur clip international par un Canadien. Ainsi, JB s'est fait battre par lui-même puisqu'il a remporté le prix pour le vidéoclip « One Time ». On ne peut pas tout avoir!

Tout ce qui brille ...

Justin est très heureux de tous ses succès et aime être sélectionné, mais il sait que les prix ne sont pas ce qui compte le plus. « Usher me rappelle régulièrement que bien des trophées seront distribués au cours de ma carrière, dit-il. C'est un honneur d'être en compétition, mais il ne faut pas perdre de vue les vrais honneurs et les vraies victoires qui ne se vivent pas nécessairement devant les caméras. »

MES PAROLES

Prépare-toi à faire de sérieuses recherches! Dix mots en lien avec l'univers de Justin sont cachés dans la grille. À toi de les trouver! Ils peuvent être écrits à l'endroit, à l'envers, à la verticale, à l'horizontale ou en diagonale. Tu trouveras les réponses à la page 61.

Z	Y	G	O	S	O	S	B	F	G	J	Y	U	D	P
E	M	C	F	E	T	E	E	M	J	É	S	S	B	L
U	M	C	I	Q	Y	R	L	L	Q	L	J	M	Y	F
S	A	G	Y	O	S	T	A	P	E	O	X	I	B	H
A	R	P	N	E	J	J	E	T	Y	N	E	L	A	C
T	G	C	D	Z	N	H	L	G	F	G	A	E	B	O
H	É	R	E	T	T	I	W	T	A	O	I	N	J	O
Z	C	G	F	É	H	O	Q	B	L	Z	R	P	C	W
Q	S	D	Z	O	I	O	H	S	L	P	R	D	I	Q
L	Q	H	V	B	N	N	O	X	C	A	Z	J	W	V
D	O	P	Z	X	P	H	N	N	Y	O	K	I	H	Y
F	B	W	B	Q	Q	T	U	F	P	B	O	R	W	D
Z	H	Z	J	R	E	L	L	I	R	H	T	T	É	M
I	U	T	L	Q	I	W	F	F	F	O	H	T	E	M
Q	T	L	J	C	G	P	H	M	Q	Y	X	U	O	R

BABY
SELENA

BEYONCÉ
STRATFORD

GRAMMY
THRILLER

PRAY
TWITTER

SCOOTER
U SMILE

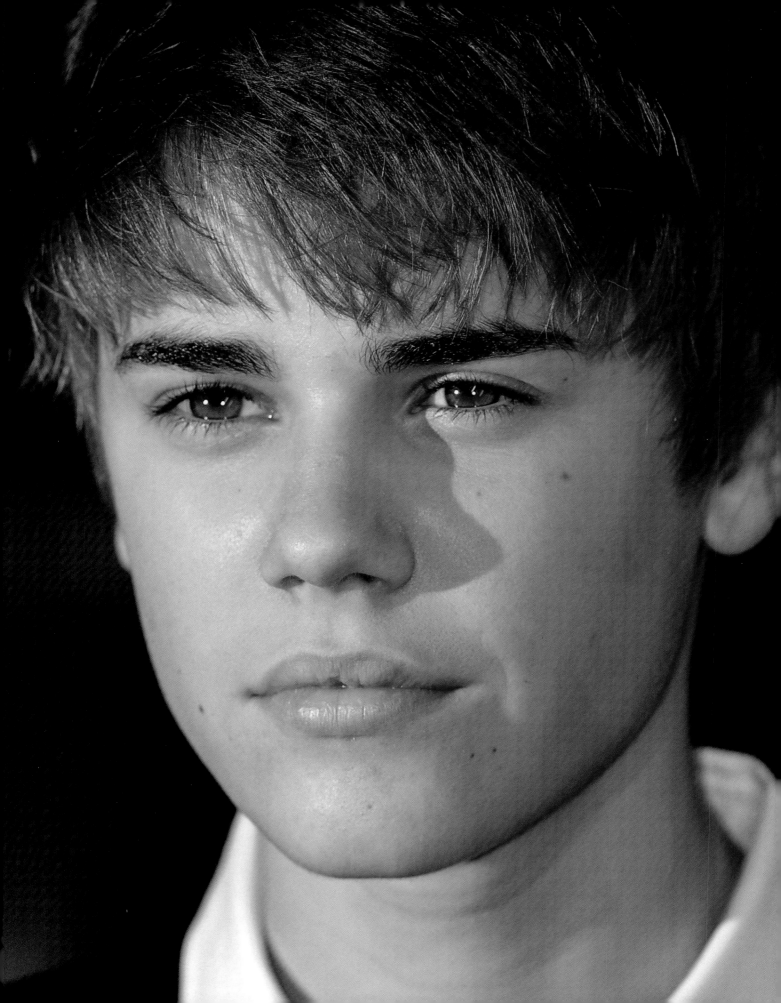

AIME-MOI

Le sourire ravageur et les chansons charmantes de Justin vont droit au cœur de ses fans enthousiastes. Mais sait-on ce que Justin pense de l'amour? Apprends à le connaître personnellement, tu sauras tout de ce qui fait chavirer son cœur.

Un homme à femmes

« J'aime vraiment… les filles… les filles… les filles… », dit Justin en souriant. De toute évidence, il les aime, mais quel est son type? Pour le look, il admet que « de beaux yeux et un sourire radieux » lui font tourner la tête. Mais ce n'est pas ce qui est le plus important pour lui. À cause de son mode de vie complètement fou, il a parfois besoin d'être un garçon de 17 ans bien ordinaire, alors l'élue de son cœur doit être réaliste, avoir un bon sens de l'humour et être douée pour le faire rire.

Les filles qui portent une tonne de maquillage ou qui essaient d'impressionner Justin ne font pas battre son cœur. Pour lui, l'important est de laisser la beauté naturelle s'exprimer. En plus, tu n'as pas besoin d'être très connue pour gagner son cœur. « Bien sûr que je fréquenterais une fan », dit Justin avec un sourire. « Tout dépend des circonstances, mais je n'exclus personne. »

Passionné par ses fans

Les innombrables Biebettes qui peuplent la planète sont parmi les personnes les plus importantes aux yeux de Justin. Pour lui, chacune est spéciale, et il aime faire des spectacles pour entrer en contact avec elles. « L'un de mes moments favoris est quand je descends de scène, que je plonge mon regard dans des yeux magnifiques et que je dis : "Si tu as besoin de moi, je parcourrai en courant l'espace qui nous sépare…" », dit-il. En 2011, il a même décidé que chacune de ses fans serait sa valentine pour le 14 février. Wow, quel bourreau des cœurs!

Un garçon de rêve

Il dit que sa sortie idéale serait d'aller au restaurant, de bavarder et d'apprendre à connaître la fille. « Je déteste aller à un rendez-vous où les deux personnes font trop d'efforts pour faire la conversation », admet-il. « Tu sais que tout est parfait quand tu peux te relaxer, écouter de la musique, regarder un film ou peu importe, sans sentir que parler demande beaucoup d'efforts. Cela devrait venir naturellement. »

Si le premier rendez-vous s'est bien passé, gageons qu'il ferait un merveilleux petit ami. À la soirée de Vanity Fair après les Oscars en 2011, Justin s'est présenté sur le tapis rouge en compagnie de la starlette de Disney Selena Gomez. Elle était belle à croquer dans sa longue robe écarlate, et Justin s'était assuré que sa tenue soit parfaitement assortie. Il était très chic dans son smoking, un mouchoir rouge vif dans la poche du veston.

Il fait attention aux détails, mais qu'en est-il du bon vieux charme? Apparemment, Justin était si toqué de Selena qu'il lui a envoyé assez de bouquets de fleurs pour remplir sa maison pendant qu'il était parti en tournée. Trop chou!

Jeune de cœur

Justin dit qu'il s'amuse bien à sortir et à passer du temps avec des filles, mais qu'il n'est vraiment pas prêt à se fixer. « Je crois que l'amour, c'est un apprentissage de toute une vie », dit-il. « Je suis un débutant, j'en suis encore à essayer de comprendre les filles! »

ÇA DÉCOIFFE!

Ce look a saisi le monde entier comme un fixatif longue tenue : la coiffure de Justin Bieber. Lis ce qui suit pour tout connaître de ses célèbres mèches!

Fantastique frange

Ce n'est pas seulement la coiffure originale qui a retenu l'attention des fans. Justin avait aussi cet adorable « coup de tête ». Mais pourquoi faisait-il cela? Justin explique qu'un simple coup de tête replaçait ses cheveux indisciplinés. Cela devait aussi l'aider à voir devant lui!

Plus qu'une simple coupe de cheveux

Le look Bieber, reconnaissable à la frange décoiffée, est devenu extrêmement populaire chez les garçons. Cette coiffure n'exige-t-elle pas des heures de travail pour avoir l'air aussi parfaite? « Après avoir pris ma douche, confie-t-il, je me sèche les cheveux au séchoir, je secoue la tête et voilà le résultat. » C'est fou comme c'est simple!

Suivre le mouvement

Les mèches libres, caractéristiques de Justin, sont un véritable aimant à filles. Certains garçons ont payé jusqu'à 175 $ pour avoir le style Bieber!

Coup de ciseaux

Début 2011, Justin a annoncé sur MTV qu'il pensait se faire couper les cheveux après la première de son film, *Ne jamais dire jamais*. Or, personne n'avait prédit l'hystérie collective que causerait le coup de ciseaux. Sa coiffeuse, Vanessa Price, appelle ce look le « Justin Bieber 2011 », mais près de 80 000 de ses admiratrices ont été si fâchées qu'elles ont arrêté de le suivre sur Twitter!

Peu après avoir renoncé à sa coiffure si cool, Justin a tweeté à ce propos : « Alors c'est vrai… je me suis fait couper les cheveux… j'aime ça… et tous les cheveux coupés seront donnés à un ORGANISME DE CHARITÉ, qui les vendra aux enchères. Détails à venir… » Le chanteur a donné une de ses mèches à l'animatrice de télévision, Ellen DeGeneres, qui l'a vendue aux enchères pour 40 668 $, après 98 offres. La somme sera versée à la Gentle Barn Foundation, un organisme de protection des animaux.

PARTOUT DANS LE MONDE

Toronto, Canada
En février 2011, la première du film de Justin, *Ne jamais dire jamais*, a eu lieu à Toronto. JB a donné sa propre conférence de presse, à laquelle il a invité un groupe de fans. « Quel est l'intérêt si mes fans n'y sont pas? » a-t-il dit.

Los Angeles (Californie), É.-U.
Justin a fait une pause pendant sa tournée pour participer à la All Star Celebrity Game de la NBA. Même si son équipe a perdu 54 contre 49, Justin a tout de même remporté le titre du joueur le plus utile.

Miami (Floride), É.-U.
Les Biebettes peuvent se faire prendre en photo avec une mèche des cheveux de Justin (récupérée lors de sa coupe de février) en échange d'un don pour venir en aide aux victimes du tremblement de terre et du tsunami qui ont frappé le Japon. Même les mèches ont leurs gardes de sécurité!

New York (New York), É.-U
En août 2010, JB est monté sur la scène du Madison Square Garden. Tous les billets ont été vendus en 22 minutes. Son film *Ne jamais dire jamais* se termine sur des images de ce spectacle.

Justin a fait le tour de la planète, allant du Japon à l'Australie, et de l'Allemagne aux États-Unis. Sa tournée *My World*, la toute première, l'a amené dans 85 villes aux États-Unis et au Canada, et il s'est produit devant près de deux millions de fans. Voici des anecdotes liées à quelques villes où il est passé en tournée.

Liverpool, Royaume-Uni
En mars 2011, des fans qui espéraient apercevoir Justin ont fait tellement de bruit devant son hôtel que 50 policiers ont dû les retenir. La star a même lancé un appel au calme sur son Twitter afin de pouvoir dormir.

Manchester, Royaume-Uni
Justin n'a pas pu s'empêcher de jouer au grand frère quand Willow Smith l'a rejoint pour sa tournée au R.-U. En mars, pendant qu'elle chantait « I Whip My Hair », la petite Willow a vu avec stupéfaction son grand frère Jaden sauter sur scène avec JB et commencer à danser avec elle. Vive d'esprit, elle les a présentés comme ses nouveaux danseurs.

Paris, France
En février 2011, la police a dû fermer un magasin où une rencontre avec ses fans avait lieu.

Tokyo, Japon
Malgré les questions de sécurité suite au tremblement de terre et au tsunami qui ont secoué le Japon, Justin a tout de même terminé sa tournée à Tokyo, en mai 2011. Il a annoncé sur Twitter qu'il donnerait une partie des revenus de ce spectacle à la croix rouge du Japon.

Kuala Lumpur, Malaisie
Des fans, impatientes de voir le concert de Justin en avril 2011, ont organisé une foule éclair et ont dansé follement sur un montage des plus grands succès de leur idole.

Sydney, Australie
Pendant un spectacle en mai 2011, quelqu'un a lancé des œufs sur la scène, mais n'a pas atteint le chanteur. Le lendemain, c'est Justin qui marchait sur des œufs : son vol a été retardé parce qu'il avait flâné. Il s'est excusé auprès des agents de bord.

FOLLE DE JUSTIN?

Justin est LE prince de la musique pop.
Tu es sa plus grande admiratrice, mais que lui dirais-tu?

Remplis les lignes ci-dessous en suivant les instructions ou en choisissant une des options entre parenthèses.

Je suis folle de Justin Bieber! Il est le chanteur le plus_____ au monde. Je pense que ce qui le rend tellement cool, c'est la façon dont il _____ (aide les autres, chante et danse, plaisante) et _____(le chapeau, les souliers, le chandail à capuchon) violet qu'il porte. Le _____(ta couleur préférée) est ma couleur préférée.

La chose la plus chouette à propos de Justin, c'est _____, et j'adore ses adorables _____ (chansons, sourires, pas de danse). Personne ne chante mieux que Justin Bieber!

Sa meilleure chanson est_____ (ta chanson favorite), et le vidéoclip que je préfère, c'est_____(ton vidéoclip favori).

Si je pouvais le rencontrer, je lui dirais que je suis sa plus grande admiratrice parce que je connais _____(nombre) de ses chansons par cœur et pour moi, il est le meilleur. J'aimerais vraiment manger _____(ton plat favori) à mon restaurant favori, et nous pourrions ensuite aller à _____(un endroit où tu aimes aller) ensemble.

Justin est mon idole parce que _____ .

Un jour, j'espère que j'aurai la chance de le rencontrer. Justin, je te/t' _____ (verbe)!

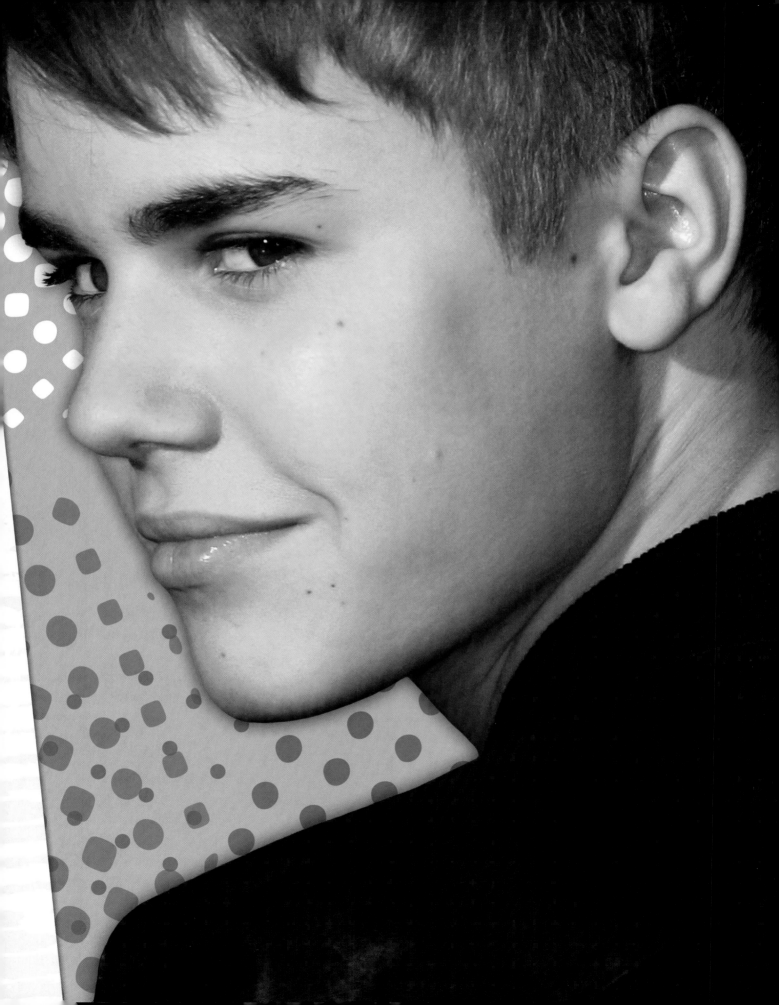

24 HEURES AVEC JUSTIN

Une journée normale

T'es-tu déjà demandé ce qu'est une journée typique dans la vie de Justin? Voici en exclusivité la réponse à cette question.

À l'exception des gestes quotidiens que l'on fait tous, comme se réveiller, se doucher, se brosser les dents et manger, une journée normale pour Justin Bieber ne se déroule certainement pas comme une des nôtres. « Chaque jour est différent », déclare Justin. Qu'il se rende à des entrevues, chante ou participe à des séances de photos, une chose est sûre, la journée de JB est longue. « Il y a un grand nombre de personnes qui veulent me parler, explique-t-il, et je participe à beaucoup d'émissions de télévision ou autres événements. »

Une chose est sûre, Justin répète ses pas de danse et fait des exercices de vocalise tous les jours. « La voix est comme n'importe quel autre muscle. Il faut la faire travailler », révèle-t-il. Justin reconnaît que son emploi du temps est bien chargé et qu'il a parfois besoin de prendre une pause. Il dort rarement plus de six heures par nuit, mais il aime vraiment ce qu'il fait.

La vie sous les projecteurs

À quoi ressemble une journée pour Justin quand il donne un spectacle? Lis la suite pour savoir comment cela s'est passé lorsqu'il a chanté à une émission matinale new-yorkaise pendant l'été 2010.

Justin se lève tôt, alors qu'il fait encore nuit, pour être au plateau de tournage vers 6 h 15. Ensuite, il échauffe sa voix au studio et donne une entrevue télévisée avant de chanter. Après l'entrevue, Justin se produit devant une foule d'admirateurs. Certains ont passé la nuit à l'attendre. Après son numéro, il y a une séance de photos, l'enregistrement d'une autre chanson pour la télévision, puis des travaux d'école. Justin Bieber est extrêmement heureux de faire ce qu'il aime. Sa vie nous semble être tout à fait somptueuse, mais elle peut aussi parfois être épuisante!

DEVINE!

Lequel est vrai, lequel est faux? Voyons voir si tu le sais!

Tout le monde sait que Justin a le cœur sur la main et qu'il a fait des choses extraordinaires pour les organismes de charité. Sais-tu quels gestes de générosité sont VRAIMENT les siens? Tu trouveras les réponses à la page 61.

1. Pour son anniversaire, Justin a amassé 5 000 $ afin de creuser des puits pour des personnes n'ayant pas accès à de l'eau potable.

2. Justin a vendu une combinaison spatiale aux enchères pour un organisme de charité.

3. En août 2010, Justin a pu faire un don de 32 690 $ en prélevant 1,06 $ sur chaque billet vendu pour son concert à Nashville (Tennessee), aux États-Unis.

4. Justin a signé un os de chien en bois pour le vendre aux enchères, afin d'amasser de l'argent pour la Mississipi Animal Rescue League.

5. Au cours de sa carrière, Justin a participé à la mise sur pied de la campagne ONE, lancée par un organisme de charité qui vient en aide aux personnes atteintes du sida et à celles qui vivent dans la pauvreté.

6. En 2010, lors d'un téléthon pour les victimes du tremblement de terre en Haïti, Justin a chanté et a aidé à répondre aux appels avec des vedettes comme Marie J. Blige et Akon.

7. Justin a fait don d'une copie manuscrite de son livre afin de recueillir des fonds pour Book Aid International, un organisme qui donne des livres à ceux qui ne peuvent pas s'en acheter.

8. En 2010, Justin a donné des concerts au chevet de patients dans un hôpital de New York.

9. Justin a aidé à réunir des fonds pour Pencils of Promise, un organisme qui aide des enfants du monde entier à avoir accès à l'éducation.

10. Justin a décoré un sac de yoga, qui a été vendu aux enchères au profit d'un organisme de charité qui lutte contre le cancer du sein.

DES FAITS CONCRETS

Si tu veux être une vraie Biebette, tu dois connaître les faits! Apprends tout ce qu'il y a à savoir à propos de Justin : ce qu'il aime, le nom de ses meilleurs amis et bien plus encore.

Le savais-tu?

JB aime aller au cinéma et jouer à des jeux vidéo.

What? Avez-vous dit que Justin est bilingue? Il parle anglais et français!

Il a la mauvaise habitude de manger trop de bonbons.

En 2010, il a lancé la première balle d'un match de baseball aux États-Unis.

Les meilleurs amis de Justin s'appellent Christian et Ryan.

En février 2010, une fausse rumeur laissait entendre que Justin était mort!

Justin a appris seul à jouer de la guitare, du piano, de la trompette et de la batterie.

Justin a un demi-frère et une demi-sœur plus jeunes, qui s'appellent Jaxon et Jazmyn.

Justin aime dessiner.

L'un de ses rêves est de chanter en duo avec la star Beyoncé.

Justin préfère le pain blanc au pain brun.

Le superhéros que Justin préfère est Superman.

Il déteste voir des filles qui portent des bottes Ugg.

Il n'est jamais nerveux quand il se produit devant des milliers de personnes.

Justin est un casse-cou. Il a même fait un saut à l'élastique depuis un pont quand il était en Nouvelle-Zélande.

Justin n'a pas de portefeuille : il met tout dans ses poches.

Justin aime le film *Les Pages de notre amour.* Chut, c'est un secret!

Il adore manger des céréales « Cap'n Crunch » au déjeuner.

Faire du sport, de la planche à roulettes et du breakdance font partie de ses passe-temps.

Justin Timberlake avait offert à Justin Bieber de signer un contrat de disque, mais JB lui a finalement préféré Usher.

JB aime le golf.

Justin peut compter jusqu'à dix en allemand.

Justin a un oiseau en plein vol tatoué sur la hanche. C'est une tradition familiale : son père en a un, lui aussi.

JB est gaucher.

Quand Justin est né, la chanson *The Power of Love*, de Céline Dion, était à la tête des palmarès.

La mère de Justin l'accompagne pendant ses tournées.

Justin ne connaît pas l'hymne national américain, mais peut chanter l'hymne canadien dans les deux langues!

La professeure de chant de Justin s'appelle Jan Smith, mais il l'appelle parfois Mama Jan.

JB a les deux oreilles percées.

L'équipe de hockey favorite de JB est le Maple Leafs de Toronto.

JB a donné son premier baiser à l'âge de 13 ans.

Son émission de télé préférée est *Smallville* et son film favori est *Rocky IV.*

AU-DELÀ DE LA MUSIQUE

Tu connais par cœur toutes les paroles de toutes les chansons de Justin Bieber, ainsi que les pas de danse de ses vidéos. Mais sais-tu ce qui se cache derrière les chansons? Voici l'envers du décor.

One Time

Dans le vidéoclip de son grand succès *One Time*, Justin entre dans la maison d'Usher et organise une gigantesque fête. Il a fait venir son meilleur ami Ryan à Atlanta pour qu'il figure dans la vidéo, et Usher a prêté main-forte à la production. Ils se sont tous bien amusés à préparer le vidéoclip, qui devait sortir quelques semaines après le single. Or, ce n'est pas ce qui s'est passé!

Le vidéoclip est apparu sur iTunes deux semaines avant la date prévue! Au début, Scooter, l'imprésario de Justin (photo ci-dessous), bouillait de colère car personne n'était au courant que le vidéoclip existait. Mais Justin a annoncé la nouvelle sur Facebook et Twitter. Quelques jours plus tard, *One Time* était en troisième place du palmarès des chansons d'iTunes.

Down to Earth

Justin a écrit la chanson *Down to Earth* pour son premier album, *My World*. Il en était très satisfait, et elle a connu un immense succès auprès des fans. Justin aime cette chanson parce que ses paroles touchent les gens.

Usher a dit à Justin que certaines chansons produisent plus d'effet si le chanteur peut montrer ses vraies émotions, et c'est ce que cette chanson lui permet de faire. Ce qu'il aime aussi,

c'est qu'elle « ne requiert aucun effet de scène spectaculaire pendant le spectacle de tournée : ce que je peux faire de mieux, c'est de la chanter du plus profond de mon cœur. Parfois, l'émotion est si intense que mes yeux s'emplissent de larmes ».

One Less Lonely Girl

On a parlé du vidéoclip *One Less Lonely Girl* comme de « l'équivalent musical d'un film de filles ». Certains disent qu'il est trop sentimental, mais Justin n'est pas d'accord, tout comme des milliers de fans. Dans le vidéoclip, Justin trouve un foulard qu'une jolie fille a laissé tomber à la buanderie. Pour le récupérer, la jeune fille doit faire une chasse au trésor préparée par Justin. Rien ne manque : billets doux, CHIOTS et fleurs.

« Je n'ai pas immédiatement compris qu'ils me disaient cela pour se moquer, reconnaît Justin. Ils critiquaient la partie où il y a des chiots à l'animalerie, et je me disais "Quoi? Qui n'aime pas les chiots? Et, plus important encore, qui croit que, en prétendant ne pas aimer les chiots, il sera plus populaire auprès des filles?" »

Baby

Cette vidéo, qui a été tournée dans une salle de quilles, a été inspirée de l'un des héros musicaux de Justin, Michael Jackson. « Nous sommes partis du vidéoclip *"You Make Me Feel Good"*... je suis la fille partout et j'essaie de la séduire », révèle Justin. Et il la poursuivait vraiment! Quand la jolie Jasmine Villegas, qui partage la vedette avec lui, lui demande pourquoi il la suit, il répond : « Parce que tu es belle et que tu as une personnalité épatante ».

Justin sait non seulement comment charmer les filles, mais il se débrouille aussi très bien sur la piste de danse. Dans la vidéo, Justin a eu l'occasion de montrer ses talents en moonwalk, le pas le plus célèbre de Michael Jackson.

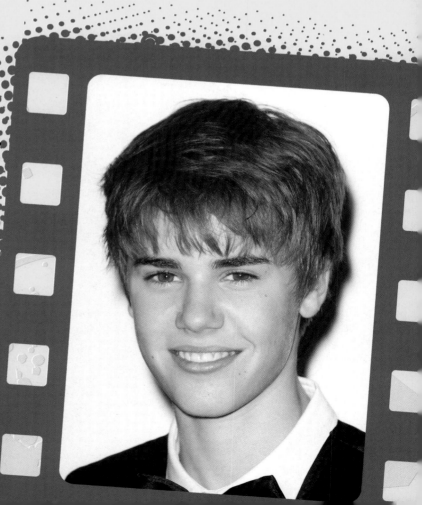

QUEL GENRE DE FAN ES-TU?

COMMENCE ICI
Oh! Justin Bieber donne un spectacle dans ta ville. Que fais-tu?

Tu te rues sur ta garde-robe pour trouver la tenue parfaite.

Tu fabriques une affiche voyante à apporter au spectacle.

Tes vêtements préférés sont tachés. Que fais-tu?

Ton affiche n'est pas si cool. Que fais-tu?

Tu appelles tes meilleures amies et tu trouves l'accessoire parfait pour masquer la tache.

Tu visionnes des vidéoclips pour trouver de l'inspiration, puis tu te précipites dans les magasins.

Tu vas acheter de la colle scintillante pour améliorer ton affiche.

Tu ajoutes de belles photos de Justin et toi.

Tes vêtements ont meilleure allure, mais ton look n'est pas génial. Que fais-tu?

Tu arrêtes de t'en faire : tu es trop impatiente d'aller voir le spectacle.

Tu ajoutes des accessoires jusqu'à ce que la tache ne se voie plus!

La gérante de Justin
Tu pourrais être la gérante de Justin. Tu es cool, calme et sereine, tout en ayant du style et du caractère.

Tu aperçois Justin dans la même boutique que toi. Que fais-tu?

Tu es sur le point de t'évanouir. Les vêtements qu'il porte sont encore plus cool en vrai.

Tu commences à chanter ta chanson préférée à tue-tête.

La styliste de Justin
Tu aimes tout de JB, particulièrement ses cheveux super cool et son audace exceptionnelle. En plus d'être une fan formidable, tu ferais une excellente styliste.

Il te reste quelques minutes avant le début du spectacle. Que fais-tu?

Tu t'assures que tes amies et toi connaissez toutes les paroles de toutes les chansons.

Tu travailles tous les mouvements de danse du dernier vidéoclip de Justin.

La future chanteuse
Tu connais absolument toutes les paroles et tous les airs. Tu aimes Justin, mais tu raffoles de sa musique.

La danseuse étoile
Tu connais tous les pas et tu adores voir Justin danser. Tu es une rêveuse qui espère pouvoir un jour danser sous les projecteurs.

SOUS LES PROJECTEURS

Depuis son premier succès jusqu'aux tournées internationales et à la première de son film, Justin a eu tout un parcours. Voici les dates des moments les plus importants qu'il a vécus sous les projecteurs.

1er mars 1994 : Bébé Bieber fait son apparition sur scène : il naît à London, en Ontario.

Septembre 2007 : Justin remporte la troisième place au concours « Stratford Idol ».

Octobre 2008 : Justin signe un contrat officiel avec Island Records.

7 juillet 2009 : *One time*, la première chanson de Justin, est diffusée à la radio aux États-Unis.

17 novembre 2009 : Justin lance son premier album, *My World*.

22 décembre 2009 : L'album *My World*, vendu à plus de un million d'exemplaires, est déclaré disque platine.

23 mars 2010 : Le second album de Justin, *My World 2.0*, atteint le sommet des palmarès américains.

28 mars 2010 : L'émission *The Diary of Justin Bieber*, qui donne un aperçu de la vie de JB hors scène, arrive sur MTV.

5 avril 2010 : Justin participe à « The White House Easter Roll », un concert donné à la Maison Blanche pour Pâques.

23 juin 2010 : Justin démarre sa première tournée tant attendue à Hartford, au Connecticut. La tournée s'arrêtera dans différentes villes en Amérique du Nord.

12 octobre 2010 : Lancement des mémoires de Justin, *Justin Bieber, De mon premier pas vers l'éternité : mon histoire*.

19 novembre 2010 : L'album *My World 2.0*, vendu à plus de deux millions d'exemplaires, est déclaré double disque platine.

2 décembre 2010 : Justin est sélectionné pour deux prix Grammy.

23 décembre 2010 : La tournée *My World* prend fin à Atlanta, en Géorgie.

8 février 2011 : Des centaines de fans vont voir Justin et son film, *Ne jamais dire jamais*, en 3D, à la première de Los Angeles.

13 février 2011 : Justin ne passe pas inaperçu sur le tapis rouge des Grammys. Même s'il ne remporte aucun prix, il est rayonnant.

21 février 2011 : Justin change de coiffure. Mais il est toujours aussi beau.

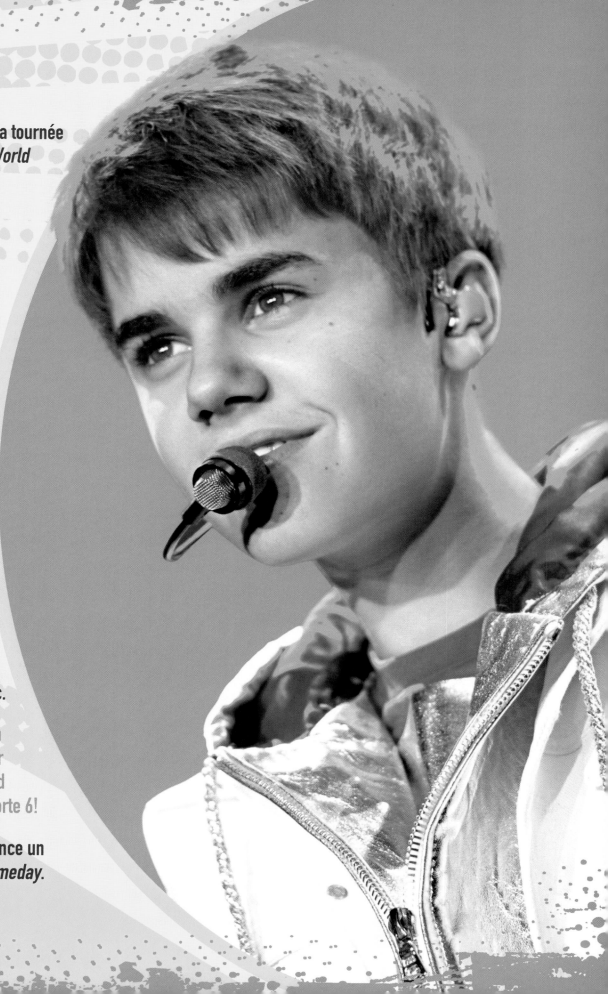

4 mars 2011 :
Justin entreprend sa tournée internationale *My World* à Birmingham, au Royaume-Uni.

25 mars 2011 :
Pray, une chanson de Justin, figure sur *Songs for Japan*, un album pour venir en aide aux victimes du tremblement de terre et du tsunami.

27 mars 2011 :
Justin est doublement gagnant aux Juno Awards : l'album pop de l'année pour *My World 2.0* et le choix du public.

22 mai 2011 : Justin est sélectionné pour 11 prix aux Billboard Awards et en remporte 6!

Juin 2011 : Justin lance un parfum féminin, *Someday*.

BIEBER EN 3D

Tu l'as vu sur scène, dans d'innombrables émissions télévisées, dans des centaines de journaux et de magazines, et, cette année, Justin Bieber s'est retrouvé sur grand écran dans son propre film en 3D.

À Hollywood

Le 2 août 2010, peu après avoir annoncé qu'il lançait ses mémoires, Justin a enchanté ses fans partout sur la planète en révélant qu'il serait la vedette de son propre film en 3D, qui raconterait son ascension vers la gloire. Le film, réalisé par John M. Chu, est sorti le 11 février 2011, juste à temps pour la Saint-Valentin.

Le pouvoir des fans

Grâce à des fans fidèles, le film qui suit Justin, garçon ordinaire vivant dans une petite ville jusqu'au jour où il fait salle comble au Madison Square Garden, est déjà l'un des documentaires les plus populaires de tous les temps. Le réalisateur, John M. Chu, a reconnu que Justin Bieber avait des fans passionnées et qu'il ne voulait surtout pas leur déplaire!

Viser les étoiles

Justin croit que son film est d'intérêt pour tous et espère que son message sera source d'inspiration : « Si tu gardes le cap pour réaliser tes rêves… si tu ne baisses jamais les bras et que tu ne dis jamais *jamais*, alors tout est possible. »

Biebermanie

Les fans mouraient d'envie de voir les débuts de JB à Hollywood. Ils ont tweeté, ils ont attendu et se sont précipités aux guichets. Sur Twitter, Justin a même encouragé ses fans à aller voir le film. Des centaines ont répondu à son appel et lui ont aussi tweeté des mots d'encouragement. En retour, Justin a fait des apparitions-surprises dans certaines salles des États-Unis. Pendant la première à Los Angeles, les filles criaient si fort, surtout pendant les scènes de concert, que l'événement ressemblait plus à un spectacle qu'à un film.

Une première parfaite

Le 8 février 2011, à la première de Los Angeles, une foule de Biebettes attendaient l'arrivée de Justin sur le tapis rouge. De nombreuses stars, y compris Usher et Diddy, sont venues assister aux débuts de Justin au cinéma.

Dans le monde entier

Justin n'a pas eu qu'une première, mais plusieurs : à Los Angeles, à Londres et à Paris. Des foules de fans survoltées se sont jointes à ces fabuleuses soirées pour le voir à l'écran et en espérant l'apercevoir en chair et en os. Justin était très heureux de pouvoir partager l'expérience avec elles : « Le vol qui nous a amenés au match des étoiles de basketball a duré 13 heures, mais la première française de NJDJ3D était complètement folle… Je t'aime », a-t-il écrit.

JB désire également que son film montre à ses fans qu'ils peuvent atteindre leurs buts. « La réaction du monde est incroyable. Nous voulons que le film incite les gens à réaliser leurs rêves », a-t-il dit sur Twitter.

EN ROUTE POUR LE TAPIS ROUGE

Il n'y a pas de temps à perdre! Ta carrière est en pleine ascension, mais tu ne dois laisser personne arriver sur le tapis rouge avant toi!

Comment jouer

Pour commencer, il te faut un dé. Place un pion par joueur sur la case « Début ». À tour de rôle, lancez le dé et avancez du nombre de cases indiqué par le dé, puis suivez les instructions sur la planche.

ARRÊT
Fais un six pour sortir d'ici.

Tu as oublié de faire tes devoirs après ton spectacle.

Rends-toi à la zone d'arrêt.

Ta première chanson passe à la radio!

Relance le dé.

DÉBUT

On clique un million de fois sur ta vidéo YouTube!

Avance de trois cases.

Tu signes un contrat avec une grande maison de disques!

Avance d'une case.

Ton premier spectacle affiche complet!

Avance de trois cases.

TU AS GAGNÉ!

Tout le monde te prend en photo sur le tapis rouge.

Relance le dé.

Ton album remporte un immense succès!

Relance le dé.

Tu es sélectionné pour une centaine de prix.

Avance de trois cases.

Oh, oh! Tu dois t'exercer à donner des entrevues.

Passe un tour.

Tu n'en peux plus après une séance de photos qui a duré toute la journée

Recule d'une case.

Tout le monde veut ton autographe.

Avance d'une case.

JB a des centaines de fans enthousiastes. Lis ce qui suit pour mieux les connaître.

Pour ses fans

Justin est très reconnaissant envers ses incroyables fans, et tu en fais partie! Il sait que, sans eux, il n'en serait pas là aujourd'hui. « Mes rêves avaient une chance sur un million de se réaliser, reconnaît-il. Je me répète sans cesse que rien de tout cela ne serait arrivé sans vous. »

Docteur Bieber

Justin aime chanter la pomme à ses fans sur scène. Un soir, l'une d'elles était sous le projecteur, juste devant lui. Il a chanté pour elle, puis lui a offert son chapeau.

Le lendemain, cette jolie admiratrice commençait une chimiothérapie, un traitement contre le cancer, et elle était terrifiée. Elle a subi des dizaines d'examens et s'est battue contre la maladie. Elle a dit que regarder les photos de Justin affichées dans sa chambre d'hôpital, se rappeler le chapeau qu'il lui avait offert, et parler de lui aux médecins et aux infirmières, lui remontait le moral. Quand elle a perdu tous ses cheveux en raison du traitement, elle a porté le chapeau de Justin.

Cette fan qui vivra longtemps et en bonne santé, a écrit une belle lettre de remerciements à Justin. « Je continuerai de prier pour elle, a dit Justin. J'ai eu de la chance de rencontrer des fans qui m'ont appris qu'il ne faut absolument jamais dire jamais. »

La plus mignonne

Les Biebettes sont de tous âges et de toutes origines. L'une des plus mignonnes est Cody, âgée de seulement trois ans quand elle a craqué pour Justin. Dans une vidéo sur YouTube mise en ligne en 2010, la petite Cody pleure parce qu'elle aime Justin et ne peut le voir. Peu après, Justin est passé à l'émission *Jimmy Kimmel Live!* à Los Angeles et a rencontré Cody dans les coulisses. Elle était aux anges et lui a fait un gros câlin. « Le plus drôle, a révélé Justin, c'est que j'étais aussi content qu'elle! »

Un ami pour toi

Le succès n'empêche pas Justin de comprendre que d'autres vivent parfois des choses difficiles. Quand Casey Heynes, un Australien de 15 ans victime d'intimidation depuis qu'il était tout petit, s'est défendu contre l'un de ses persécuteurs, il ne se doutait pas de ce qui suivrait. Justin a entendu parler de cette histoire et a décidé d'apporter son soutien à Casey en le faisant monter sur scène à Melbourne, en Australie. Il a ensuite dit sur Twitter que Casey était « un véritable héros ». Bien joué!

DIS-MOI

Justin a beaucoup à dire sur Twitter comme en entrevue, partout sur la planète. Voici les meilleures « biebertations » les plus récentes.

« Tellement de choses peuvent changer en trois ans... c'est irréel. »

« Mon succès, je le dois à Dieu... »

« Je suis fier d'être canadien et j'espère que cela paraît dans tout ce que je fais. »

« C'est vraiment formidable de revenir à la maison et de voir tes grands-parents t'attendre. Aucun jugement. De l'amour à l'état pur. »

« Mes fans sont incroyables. Ils viendront toujours à mon secours. »

« Ma mère est vraiment adorable... »

« Quel genre d'imbécile ne veut pas d'amour? Je parie que 95 % des garçons de 16 ans reconnaîtraient qu'ils ont 45 pensées liées aux filles toutes les trois minutes. »

« Tu dois te donner la chance de faire des choses pour lesquelles tu n'es pas doué. »

« Un jour, je me suis aperçu que le monde était rempli de belles filles. »

« La musique rassemble les gens et c'est ce dont je suis le plus fier. »

« J'étais au ciel. J'étais parmi les étoiles! C'était complètement fou. »

« Je veux que tout se passe bien. Je ne veux décevoir personne. »

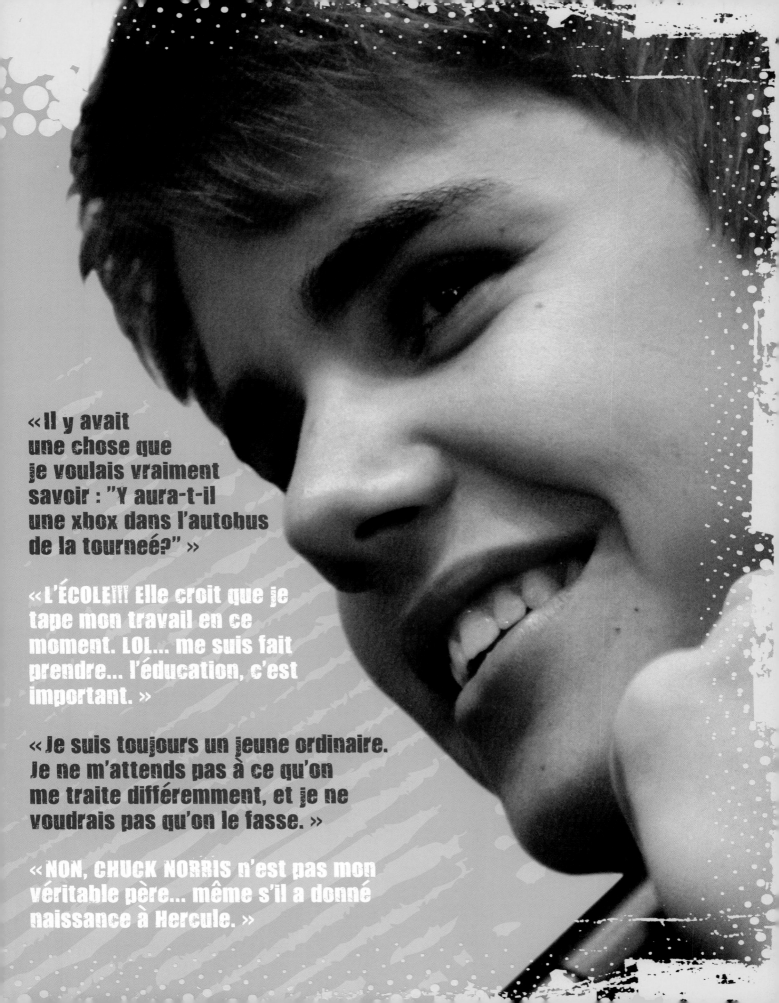

« Il y avait une chose que je voulais vraiment savoir : "Y aura-t-il une xbox dans l'autobus de la tourneé?" »

« L'ÉCOLE!!! Elle croit que je tape mon travail en ce moment. LOL... me suis fait prendre... l'éducation, c'est important. »

« Je suis toujours un jeune ordinaire. Je ne m'attends pas à ce qu'on me traite différemment, et je ne voudrais pas qu'on le fasse. »

« NON, CHUCK NORRIS n'est pas mon véritable père... même s'il a donné naissance à Hercule. »

QUE FERAIS-TU?

Si tu avais la chance de rencontrer Justin Bieber, laquelle de ces choses merveilleuses choisirais-tu de faire?

Partir en vacances avec Justin
OU
L'accompagner en tournée?

Lui préparer ton gâteau favori
OU
Laisser Justin cuisiner pour toi?

Passer du temps avec lui et ses amis
OU
Jouer dans son prochain vidéoclip?

Écrire ta propre chanson avec Justin
OU
Chanter *Never Say Never* à tue-tête avec lui?

Aller au planchodrome
OU
Apprendre à jouer de la guitare avec Justin?

Manger une crème glacée
OU
Grignoter du popcorn au cinéma?

Chanter en duo avec lui
OU
Lui montrer tes plus beaux
pas de danse?

Prendre des photos
de vous deux
OU
Assister à une séance de
photos de Justin?

Être son invitée à la première
d'un film
OU
Être sa concurrente sur le
tapis rouge des Grammys?

Chanter sur scène avec Justin
OU
Assister au spectacle dans
la section VIP, à la première
rangée?

Inviter Justin à ton
restaurant favori
OU
Aller avec lui dans ton
manège préféré?

Partir en avion avec Justin
OU
Te promener en limousine
avec lui?

JOYEUX ANNIVERSAIRE, JUSTIN!

Des centaines de fans ont souhaité un joyeux anniversaire à Justin, mais comment a-t-il célébré ses 17 ans? Lis la suite pour découvrir comment s'est déroulée cette journée spéciale.

La fête parfaite

Il est le plus jeune artiste à atteindre les sommets du palmarès depuis Stevie Wonder, en 1963. Il a foulé le tapis rouge d'un grand nombre d'événements importants, y compris les Grammy Awards, un gala connu dans le monde entier. De plus, son premier album a été déclaré double platine. Le jour des 17 ans de Justin, son premier film, *Ne jamais dire jamais*, avait déjà récolté 60 millions de dollars. Alors, qu'a-t-il fait pour célébrer son anniversaire?

Crois-le ou non, Justin n'a pas organisé d'immense fête. Il avait seulement quatre jours de congé entre deux tournées, alors il voulait passer cette journée avec ses grands-parents. « Ma grand-mère fait le meilleur gâteau au fromage aux cerises. Elle en avait fait un pour mes 13 ans », révèle Justin. En ne prévoyant pas d'énorme fête, Justin a pu célébrer ses 17 ans comme il le voulait : en se reposant avec sa famille, avant de reprendre sa tournée.

Souhaits d'anniversaire

Les 17 ans de Justin n'ont peut-être pas été un grand événement, mais c'était une journée importante pour ses fans. Des centaines d'admiratrices lui ont souhaité un joyeux anniversaire sur Twitter et Facebook. Certaines ont même enregistré des vidéos, qu'elles ont postées sur YouTube. Justin a écrit sur Twitter : « Merci… et… anniversaire génial. Ai été chez grand-maman et ai mangé mon gâteau. Ai passé du temps avec des amis. Ai eu des surprises. »

Planifier une fête

Justin n'a pas eu une grosse fête cette année, mais toi, qu'aurais-tu organisé pour faire en sorte que son anniversaire de 17 ans soit le plus formidable de tous? Utilise l'espace ci-dessous pour écrire ce que tu aurais fait.

QUIZZ POUR LES FANS
VRAIES DE VRAIES

Alors, tu crois tout savoir sur Justin Bieber? Mets tes connaissances à l'épreuve et découvre si tu es vraiment sa plus grande fan. Tu trouveras les réponses à la page 61.

1. À son premier rendez-vous galant, qu'a renversé JB sur sa chemise?

a. des pâtes carbonara   b. des spaghettis sauce bolognaise   c. de la soupe aux pois

2. La première tournée de Justin s'appelait :

a. *My World Tour*   b. *My World 2.0 Tour*   c. *Justin Bieber Tour*

3. JB n'a jamais avoué avoir le béguin pour cette vedette. Laquelle?

a. Kim Kardashian   b. Beyoncé   c. Gwen Stefani

4. On a découvert Justin sur ce site Internet :

a. Twitter   b. YouTube   c. Facebook

5. Où des fans se sont-elles emparées du chapeau de JB?

a. À Auckland, en Nouvelle-Zélande   b. À New York, aux États-Unis   c. À Londres, au Royaume-Uni

6. Qui est l'imprésario de Justin?

a. Usher   b. Jay-Z   c. Scooter Braun

7. À quel âge Justin a-t-il commencé à jouer de la batterie?

a. 10 ans   b. 6 ans   c. 2 ans

8. Justin ne joue pas d'un de ces instruments. Lequel?

a. Du banjo   b. De la trompette   c. Du piano

9. Le deuxième prénom de Justin est :

a. Drew   b. Edward   c. Andrew

10. Les billets du concert au Madison Square Garden se sont vendus :

a. en 22 minutes   b. en 22 heures   c. en 22 jours

11. Laquelle de ces stars a la même date d'anniversaire que JB?

a. Lady Gaga   b. Ke$ha   c. Selena Gomez

12. Un jour, Justin aimerait être :

a. architecte   b. professeur d'arts dramatiques   c. animateur radio

NÉ SOUS LA BONNE ÉTOILE

Il n'a que 17 ans, et ses projets sont déjà couronnés de succès. Quels sont les plans d'avenir de Justin?

Rester sous les projecteurs

Justin adore sa vie sur scène et en tournée. Il aime entrer en contact avec ses fans et ne prévoit pas de quitter l'industrie de la musique de sitôt. Mais Justin n'aime pas que la musique…

Maintenant qu'il a son propre film, Justin aimerait jouer d'autres rôles. « Je veux faire plus de cinéma. Je commence à recevoir des scénarios et j'en cherche que j'aime vraiment », dit-il. Le père de Jaden et Willow Smith, l'acteur Will Smith, l'aide d'ailleurs à sélectionner les scénarios.

Scooter Braun, l'imprésario de Justin, a aussi révélé que ce dernier espérait pouvoir jouer avec l'acteur comique Will Farrell.

Le prochain Michael Jackson ?

Ce n'est plus un secret : Justin a fortement été inspiré par Michael Jackson sur le plan de la musique et de la danse. Appuyé par son équipe, il croit pouvoir devenir le prochain roi de la pop.

« Michael était incroyable. Il a travaillé très fort et savait comment gérer sa carrière. Je l'admire vraiment beaucoup », révèle Justin.

Brillant avenir!

Justin n'est pas seulement un bon chanteur et un bon danseur, il réussit également bien à l'école. Grâce à des notes presque parfaites, il espère pouvoir s'inscrire à l'université. Il déclare : « Je me déplace toujours avec un tuteur, qui me donne cinq cours de trois heures par semaine. Je veux terminer l'école secondaire et l'université, puis suivre la voie que m'indiquera la musique. »

Toujours plus haut!

Peu importe ce qui arrivera, une chose est certaine : Justin n'a fait que ses premiers pas sur le chemin de la réussite. Il sait qu'il n'aurait pu se rendre aussi loin sans sa famille, ses amis, ses fans et ses rêves. « Réalisez vos rêves, dit-il. On peut faire tout ce que l'on veut quand on le veut vraiment. » Rien ne peut arrêter cette étoile montante!

RÉPONSES

Qui a dit quoi? (pages 12 et 13)

1. Justin Bieber 2. Miranda Cosgrove 3. Justin Bieber 4. Justin Bieber 5. Sean Kingston 6. Taylor Swift 7. Katy Perry 8. Justin Bieber 9. Ellen DeGeneres 10. Justin Bieber

Mes paroles (page 18)

Z	Y	G	O	S	O	S	B	F	G	J	Y	U	D	P
E	M	C	F	E	T	E	E	M	J	É	S	S	B	L
U	M	C	I	Q	Y	R	L	Q	L	J	M	I		F
S	A	G	Y	S	T	A	P	E	O	X		B	H	
A	R	P	N	E	J	J	E	T	Y	N	E	L	A	C
T	G	C	D	Z	N	H	L	G	F	G	A	E		O
H	É	R	E	T	T	I	W	T	A	Q	I	N	J	O
Z	C	G	F	É	H	O	Q	B	L	Z	R	P	C	W
Q	S	D	Z	O	I	O	H	S	L	P	R	Q	I	Q
L	Q	H	V	B	N	N	O	X	C	A	Z	J	W	V
D	O	P	Z	X	P	H	N	N	Y	Q	K	I	H	Y
F	B	W	B	Q	Q	T	U	F	P	B	Q	R	W	D
Z	H	Z	J	R	E	L	L	I	R	H	T	T	É	M
I	U	T	L	Q	I	W	F	F	F	O	H	T	E	M
Q	T	L	J	C	G	P	H	M	Q	Y	X	U	O	R

Devine! (page 34)

1. Faux : C'est l'actrice Jessica Biel qui voulait recueillir 5 000 $. Justin espérait récolter 10 000 $, et il a réussi!

2. Vrai : Justin Bieber et Ozzy Osbourne ont vendu aux enchères les combinaisons spatiales qu'ils ont portées en 2011 dans une publicité télévisée. L'argent récolté a été versé à un organisme de charité de lutte contre le cancer.

3. Vrai : Justin a versé l'argent à un organisme de bienfaisance du Middle Tennessee, appelé Nashville Flood Fund.

4. Faux : C'est Oprah Winfrey qui a signé l'os.

5. Faux : C'est le chanteur Bono qui a aidé à mettre sur pied cette organisation.

6. Vrai.

7. Faux : C'est l'auteure J. K. Rowling qui a écrit à la main l'histoire de l'un des personnages de Harry Potter, afin d'amasser des fonds pour Book Aid International.

8. Vrai.

9. Vrai.

10. Faux. C'est Miley Cyrus qui a fait don d'un sac qu'elle avait décoré.

QUIZZ POUR LES FANS LES VRAIES DE VRAIES (pages 56 et 57)

1. b — Des spaghettis sauce bolognaise
2. a — *My World* 3. c — Gwen Stefani
4. b — YouTube 5. a — Auckland, en Nouvelle-Zélande 6. c — Scooter Braun
7. c — 2 ans 8. a — Du banjo 9. a — Drew
10. a — 22 minutes 11. b — Ke$ha
12. a — Architecte